La cuisine
en sauces et marinades

Artoria

Textes, recettes et stylisme :
MIREILLE STEYT

Origine des illustrations :
Fonds ARTIS-HISTORIA

Direction Générale : CHRISTIAN KREMER
Chef du Département Editions et Planning et coordination :
PASCALE VANOBBERGEN
Chef du département technique : Marc Barbay
Chef du Studio : ERIC DEBEYSER
Mise en pages : FRANÇOISE COLMANT

Correction : KARIN WILLEMS, RÉGINE DE NEVE
Photogravure : L'APPLIFOTO, Lembeek
Impression et reliure : PROOST, Turnhout

Introduction

De tout temps, la cuisine régionale a fait appel aux produits du terroir, facilement disponibles et peu coûteux. Ainsi l'on peut retrouver, d'une contrée à l'autre, quasiment les mêmes recettes de viande ou de poisson, préparées tantôt avec les vins du cru, tantôt avec de la bière, voire du cidre.

Nous avons ainsi réuni dans ce livre un certain nombre de classiques régionaux, des plats rustiques et savoureux dont on ne se lasse jamais. D'autres recettes, plus actuelles, s'enrichissent également des arômes subtils des nombreux vins et bières aujourd'hui accessibles à tous dans n'importe quel supermarché.

Quel vin choisir?

Il est certain que la saveur d'un plat dépendra en grande partie du vin choisi : meilleur est le vin, meilleure sera la sauce. On ne saurait toutefois sacrifier un grand cru à un bœuf bourguignon ! Pour la préparation, utilisez donc un vin de bonne qualité, sans plus, et accompagnez le plat d'un vin de la même région, mais de qualité supérieure.

Sauf exception indiquée dans la recette, préférez des vins blancs secs et des vins rouges assez corsés.

Les bières à utiliser en cuisine

Plus encore qu'avec le vin, la saveur de la recette dépendra en grande partie de la bière utilisée, de son amertume, de sa teneur en alcool...

Mais toutes les bières, les blondes et les brunes, y compris les bières de table, se prêtent à la cuisine.

Potages

Consommé de queue de bœuf
(6 personnes)

1/2 queue de bœuf
30 g de beurre ou de margarine
1 carotte
1 oignon
1 bouquet garni
1 c. à soupe de concentré de tomates
1 l de bouillon de bœuf (eau et cube)
2 poireaux
2 carottes
1 branche de céleri
1 dl de sherry (xérès)

Débutante
Temps de préparation : 20 min
Temps de cuisson : 2 h

Demandez au boucher de couper la queue de bœuf en petits morceaux. Faites-les revenir dans le beurre. Ajoutez les légumes coupés en julienne, le bouquet garni et le concentré de tomates. Laissez roussir un peu.

Mouillez avec le bouillon et laissez cuire pendant 2 heures en écumant de temps en temps. Retirez la viande et laissez refroidir le bouillon.

Quand le bouillon est bien froid, écumez la graisse et les impuretés. Passez le bouillon et faites-le rebouillir avec les légumes.

Ajoutez la viande et enfin le sherry.

Si vous achetez une queue de bœuf entière, le surplus de chair pourra être utilisé pour la préparation d'une salade de viande.

Potage aux moules

(4 personnes)

1 kg de moules
20 g de beurre ou de margarine
1 cube de bouillon de volaille
4 jaunes d'œufs
1 1/2 dl de crème
cerfeuil
125 g d'oseille
3 dl de vin blanc
2 échalotes

Débutante
Temps de préparation : 25 min
Temps de cuisson : 10 min

Lavez et grattez les moules. Pendant 5 minutes, faites chauffer le vin blanc à feu vif avec les échalotes et le persil.

Equeutez l'oseille, hachez-la et faites-la fondre, à la poêle, dans le beurre chaud.

Passez au tamis le jus de cuisson des moules. Complétez avec de l'eau pour obtenir 1 l de liquide, auquel vous ajoutez le cube de bouillon. Laissez bouillir pendant 2 ou 3 minutes.

Battez les jaunes d'œufs avec la crème; versez la liaison dans le potage, en fouettant. Ajoutez les moules décortiquées. Parsemez de pluches de cerfeuil et servez bien chaud.

Velouté de volaille aux champignons

(4 personnes)

5 dl de bouillon
5 dl de bière d'abbaye
1 reste (150 g) de volaille rôtie ou pochée
200 g de champignons
2 dl de crème
3 jaunes d'œufs

Débutante
Temps de préparation : 10 min
Temps de cuisson : 10 min

Faites chauffer le bouillon avec la bière. Ajoutez les champignons lavés et émincés, et la volaille découpée en fines lanières. Laissez mijoter doucement pendant 5 minutes.

Battez la crème avec les jaunes d'œufs et incorporez au potage. Laissez chauffer à feu très doux pour lier le bouillon.

Vérifiez l'assaisonnement. Parsemez de persil haché et servez bien chaud.

Soupe à la gueuze

(6 à 8 personnes)

1 1/2 kg d'oignons
50 g de beurre ou de margarine
1 l de bouillon de volaille
1 bouteille de gueuze
2 1/2 dl de crème fraîche
100 g de gruyère râpé
sel, poivre, paprika

Débutante
Temps de préparation : 15 min
Temps de cuisson : 45 min

Epluchez et émincez les oignons, faites-les fondre dans le beurre chaud pendant 15 minutes, en remuant souvent. Ils doivent devenir transparents, sans brunir. Saupoudrez de farine.

Mouillez avec le bouillon et la bière et laissez cuire pendant 30 minutes. Passez au mixer, salez et poivrez.

Fouettez légèrement la crème. Assaisonnez-la de paprika. Répartissez le potage dans des bols. Recouvrez de crème et parsemez de gruyère.

Faites gratiner rapidement au four.

Soupe à la bière

(4 personnes)

30 g de beurre
2 oignons
1 c. à soupe de farine
1 l de bière blonde légère
sel, poivre
4 tranches de pain rassis
1 jaune d'œuf
1 c. à soupe de crème

Débutante
Temps de préparation : 10 min
Temps de cuisson : 30 min

Pelez et émincez les oignons. Faites-les fondre dans le beurre chaud, sans les laisser prendre couleur. Saupoudrez de farine, mélangez bien.

Arrosez de bière en remuant. Assaisonnez et faites cuire pendant 20 minutes à feu doux.

Coupez le pain en dés. Passez-le au four pour bien le dessécher.

Dans la soupière, liez la soupe au jaune d'œuf battu avec la crème. Servez les croûtons à part.

Soupe à l'oignon gratinée

(4 personnes)

4 gros oignons
50 g de beurre ou de margarine
30 g de farine
1 dl de vin blanc sec
sel, poivre, bouquet garni
2 gousses d'ail
pain baguette
3 jaunes d'œufs
1 dl de madère
100 g de fromage râpé (gruyère)

Débutante
Temps de préparation : 20 min
Temps de cuisson : 1 h 30

Emincez les oignons et faites-les blondir à feu doux dans le beurre chaud. Ajoutez la farine, mélangez bien, et laissez cuire un moment sans trop laisser colorer. Salez, poivrez, ajoutez le bouquet garni.

Versez le vin blanc sur la préparation, laissez réduire de moitié et ajoutez 7 1/2 dl d'eau chaude. Laissez mijoter pendant 1 heure.

Coupez 16 fines tranches de baguette. Faites-les sécher au four jusqu'à ce que les bords blondissent.

Battez les jaunes d'œufs avec le madère. Hors du feu, incorporez-les au bouillon d'oignons. Vérifiez l'assaisonnement et versez le potage dans quatre grands bols pouvant aller au four.

Sur chaque bol, disposez 4 tranches de pain, parsemez de fromage et faites gratiner à four chaud. Servez bouillant.

Hors-d'œuvres et entrées

Petits légumes à la grecque
(4 à 6 personnes)

250 g de petits oignons frais
4 fonds d'artichaut
1 petit chou-fleur
1 grosse carotte
2 tomates
1 citron
bouquet garni
1 dl d'huile d'olive
2 1/2 dl de vin blanc sec
sel, poivre

Débutante
Temps de préparation : 20 min
Temps de cuisson : 15 min

Nettoyez les petits oignons, coupez les fonds d'artichaut en quartiers, le chou-fleur en bouquets et les carottes en bâtonnets. Épluchez les tomates, épépinez-les et hachez la pulpe.

Mettez tous les légumes dans la casserole. Ajoutez le jus de citron, bouquet garni, huile et vin blanc.

Assaisonnez et faites cuire à petits bouillons pendant 15 minutes. Servez frais, en hors-d'œuvre.

Lorsque vous cuisinez au vin ou à la bière, n'utilisez pas de récipient en aluminium, en acier ou en cuivre sans revêtement intérieur. Préférez-leur les terres cuites, verres ou porcelaines qui vont au feu. De même, une fois cuits, gardez vos plats dans des récipients en verre.

Toasts aux oignons

4 tranches de pain de mie
2 gros oignons
30 g de beurre ou de margarine
150 g d'emmental
150 g de gouda vieux
1 dl de bière blonde
1 c. à café de moutarde forte
sel, poivre de Cayenne

Cordon-bleu
Temps de préparation : 20 min
Temps de cuisson : 5 min

Emincez les oignons et faites-les revenir dans le beurre chaud. Ajoutez les fromages râpés. Faites fondre en mélangeant sans arrêt et en versant la bière peu à peu.

Ajoutez la moutarde et assaisonnez. Disposez les tranches de pain sur une plaque beurrée. Nappez-les de la préparation au fromage. Faites gratiner à four chaud.

Pour éviter que la "fondue" de fromage ne forme une boule, mélangez en décrivant des huit.

Carottes au porto
(4 personnes)

800 g de carottes nouvelles
30 g de beurre ou de margarine
1 dl de porto rouge
sel, poivre
1 épaisse tranche de jambon
2 c. à soupe de crème fraîche

Débutante
Temps de préparation : 10 min
Temps de cuisson : 15 min

Grattez les carottes et faites-les revenir rapidement dans le beurre chaud.

Salez, poivrez, mouillez avec le porto. Laissez mijoter à couvert jusqu'à ce que les carottes soient tendres.

Ajoutez la crème fraîche et le jambon haché. Remuez rapidement et retirez du feu.

Bouchées au fromage

(4 personnes)

150 g de fromage (appenzell)
2 dl de lait
250 g de farine
2 dl de bière blonde
4 œufs
huile pour la friture

Débutante
Temps de préparation : 15 min (plus le temps de refroidissement)
Temps de cuisson : 5 min

Coupez le fromage en petits dés que vous faites fondre dans le lait chaud, en remuant. Laissez refroidir.

Délayez la farine dans la bière et mélangez-la au lait refroidi. Incorporez les œufs un à un.

Faites chauffer la friture et versez-y des cuillerées de pâte. Dorez bien. Egouttez et déposez sur du papier absorbant. Servez chaud ou froid, accompagné d'une salade.

Pour gagner du temps au moment de la préparation, le fromage peut être fondu le matin pour le soir.

Tarte à l'oignon

(4 à 6 personnes)

Pâte brisée : *voir recette à la page 14*
1 kg d'oignons
2 1/2 dl de bière blonde
3 œufs
1 1/2 dl de crème fraîche
sel, poivre

Débutante
Temps de préparation : 30 min
Temps de cuisson : 30 min

Abaissez la pâte au rouleau et foncez-en un moule à tarte beurré.

Pelez et émincez les oignons. Faites-les fondre à petit feu dans la bière.

Hors du feu, incorporez aux oignons les œufs battus avec la crème. Salez et poivrez.

Versez dans le fond de tarte et faites cuire à four chaud préchauffé pendant 30 minutes.

Tarte aux poireaux

(4 à 6 personnes)

1 botte de poireaux
30 g de beurre
5 dl de bière blonde
1 épaisse tranche de jambon fumé
2 1/2 dl de crème fraîche
2 œufs
sel, poivre, muscade

Pâte brisée :
250 g de farine
150 g de beurre ou de margarine
1 jaune d'œuf
sel

Débutante
Temps de préparation : 20 min
Temps de cuisson : 1 h 30

Mettez la farine en fontaine sur le plan de travail. Au centre, ajoutez le beurre ramolli et coupé en parcelles, le jaune d'œuf et une pincée de sel. Pétrissez rapidement pour obtenir une pâte homogène. Formez-en une boule. Laissez-la reposer au frais pendant 1 heure.

Pendant ce temps, nettoyez les poireaux, en ne conservant que le blanc (le vert sera utilisé pour un potage). Coupez-les en tronçons. Faites revenir dans le beurre chaud. Assaisonnez et mouillez avec la bière. Laissez mijoter à découvert, jusqu'à évaporation totale du liquide.

Battez avec la crème l'œuf et le blanc non utilisé dans la pâte brisée. Assaisonnez de poivre et de muscade. Ajoutez le jambon coupé en petits dés.

Abaissez la pâte au rouleau et foncez-en un moule à tarte beurré. Piquez le fond à la fourchette. Versez-y les poireaux, puis le mélange crème-œufs-jambon. Faites cuire pendant une trentaine de minutes environ à four chaud préchauffé. Servez chaud.

Welsh rarebit

(4 personnes)

4 tranches de pain de mie
50 g de beurre ou de margarine
200 g de cheddar
1 verre à liqueur de kirsch
1 1/2 dl de bière brune
sel, poivre de Cayenne
1 c. à soupe de moutarde

Cordon-bleu
Temps de préparation : 20 min
Temps de cuisson : 5 min

Faites fondre le beurre. Ajoutez-y le fromage râpé. Mélangez vigoureusement. Ajoutez le kirsch et la bière.

Travaillez à nouveau pour obtenir une pâte bien lisse. Ajoutez sel, cayenne et moutarde. Donnez quelques bouillons.

Faites griller légèrement les tranches de pain de mie. Déposez-les sur une plaque beurrée et nappez-les de la crème au fromage. Faites dorer à four chaud et servez aussitôt.

La crème doit avoir la consistance d'une béchamel épaisse. Au besoin, ajoutez un peu de bière pour obtenir la consistance voulue.

Divers

Risotto au safran
(4 personnes)

200 g de riz
2 c. à soupe d'huile d'olive
1 oignon
1 dl de vin blanc sec
5 dl de bouillon
1 dose de safran
30 g de beurre ou de margarine
50 g de fromage râpé (parmesan)
sel

Débutante
Temps de préparation : 10 min
Temps de cuisson : 20 min

Faites revenir à l'huile les oignons émincés. Ajoutez le riz et mélangez bien.

Mouillez avec le vin et le bouillon dans lequel vous aurez délayé le safran. Salez. Amenez à ébullition, couvrez et laissez cuire pendant 20 minutes à petit feu, sans remuer.

Avant de servir, incorporez au riz le beurre et le fromage râpé.

Œufs en gelée

(6 personnes)

6 œufs
2 dl de gelée (préparée avec un sachet)
1/2 dl de vin de Malaga
2 branches d'estragon
1 belle tranche de jambon

Débutante
Temps de préparation : 15 min
Temps de cuisson : 6 min

Faites cuire les œufs 6 minutes à l'eau bouillante additionnée de sel. Refroidissez-les et écalez-les délicatement car ils sont encore mollets.

Préparez la gelée et faites-la bouillir pendant quelques instants avec le malaga. Laissez refroidir. Lorsque la gelée est froide mais pas encore prise, chemisez-en le fond et le tour de quatre petits moules préalablement placés quelques minutes au réfrigérateur. Laissez prendre au frais.

Décorez le fond des moules avec quelques feuilles d'estragon et masquez les parois avec des lanières de jambon. Posez un œuf au centre et achevez de remplir avec de la gelée.

Mettez au réfrigérateur pendant 2 heures au moins. Démoulez sur de petites assiettes. Décorez de quelques feuilles de salade et servez frais.

Œufs en meurette

(4 personnes)

4 œufs
1 dl de vinaigre de vin rouge
2 1/2 dl de vin rouge
4 c. à soupe de fond de viande
1 échalote
sel, poivre
50 g de beurre ou de margarine
cerfeuil

Cordon-bleu
Temps de préparation : 15 min
Temps de cuisson : 10 min

Hachez finement l'échalote. Mettez-la dans une petite casserole avec le vin rouge et le fond de viande. Laissez réduire de moitié. Assaisonnez. Hors du feu, incorporez le beurre par petites parcelles, en fouettant.

Faites bouillir 1 l d'eau avec le vinaigre de vin. Cassez chaque œuf dans une tasse et faites-le glisser dans l'eau frémissante. Laissez cuire tout doucement pendant 4 minutes. Retirez à l'écumoire.

Répartissez la sauce chaude dans de petites assiettes creuses. Posez dans chaque assiette un œuf poché paré aux ciseaux. Décorez de pluches de cerfeuil et servez aussitôt.

Œufs pochés à la bière

(4 personnes)

5 dl de bière brune
4 œufs
60 g de beurre
20 g de farine
sel, poivre
2 échalotes
250 g de champignons de couche
4 tranches de pain de mie

Débutante
Temps de préparation : 30 min
Temps de cuisson : 20 min

Faites bouillir la bière puis baissez le feu au minimum. Cassez les œufs un à un dans une tasse. Versez chaque œuf avec précaution dans la bière chaude et laissez pocher pendant 3 minutes. Egouttez et tenez au chaud.

Faites un roux avec la moitié du beurre et la farine, mouillez avec la bière et laissez épaissir à feu doux. Vérifiez l'assaisonnement.

Hachez les échalotes et faites-les fondre doucement dans le reste du beurre. Ajoutez les champignons nettoyés et émincés et faites-les sauter vivement. Assaisonnez et versez dans la sauce.

Pour servir, faites griller les tranches de pain. Parez les œufs aux ciseaux pour leur donner une forme plus régulière. Posez un œuf sur chaque toast. Nappez de sauce aux champignons et servez aussitôt.

Œufs à la bourguignonne

(4 personnes)

1 bouteille de bourgogne rouge
sel, poivre
bouquet garni
60 g de beurre
20 g de farine
250 g de champignons de couche
4 œufs

Débutante
Temps de préparation : 20 min
Temps de cuisson : 10 min

Faites bouillir le vin additionné de sel, de poivre et du bouquet garni. Dans la sauteuse, travaillez la moitié du beurre avec la farine et mouillez avec le vin chaud. Faites épaissir à feu doux.

Emincez les champignons et faites-les sauter dans le reste du beurre. Ajoutez-les à la sauce.

Cassez les œufs sur les champignons et continuez la cuisson à feu doux jusqu'à ce que les blancs soient pris. Servez aussitôt.

La fondue

(6 personnes)

1 kg de fromages divers (emmental, gruyère, appenzell)
5 dl de vin blanc sec
le jus d'un demi-citron
1 gousse d'ail
1 c. à soupe de fécule
poivre, muscade râpée
1 petit verre de kirsch
pain

Débutante
Temps de préparation : 15 min

Râpez les fromages. Frottez le caquelon avec la gousse d'ail écrasée. Versez-y le vin blanc et le jus de citron. Amenez à ébullition.

Ajoutez peu à peu le fromage râpé, en remuant sans cesse. Remuez en décrivant des huit avec la cuiller en bois.

Délayez la fécule dans quelques cuillerées de vin blanc. Incorporez à la fondue. Assaisonnez de poivre et de muscade râpée. Redonnez un bouillon.

Au dernier moment, ajoutez le kirsch et servez dans le caquelon, maintenu au chaud sur un réchaud de table. Chaque convive trempe dans la fondue des cubes de pain piqués au bout d'une fourchette à deux dents.

Fruits de mer

Spaghetti alla marinara
(4 personnes)

1 kg de moules
200 g de poulpe (facultatif)
3 c. à soupe d'huile d'olive
1 oignon
3 dl de vin blanc sec
1 gousse d'ail
1 bouquet de persil
500 g de spaghettis extra-fins

Débutante
Temps de préparation : 15 min
Temps de cuisson : 20 min

Dans une casserole, faites ouvrir la moitié des moules sur feu vif. Retirez-les de leur coquille et hachez-les. Hachez également le poulpe.

Emincez l'oignon, faites-le revenir dans l'huile chaude. Ajoutez les moules et le poulpe hachés. Laissez mijoter 5 minutes puis mouillez avec le vin blanc. Laissez cuire à feu vif pour réduire un peu la sauce.

Ajoutez l'ail et le persil finement hachés, puis les moules entières. Continuez la cuisson jusqu'à ce que les moules s'ouvrent.

Pendant ce temps, faites cuire les spaghettis dans beaucoup d'eau bouillante additionnée de sel. Egouttez-les et mélangez avec la sauce. Servez chaud.

Aspics de fruits de mer

(4 personnes)

8 scampi
150 g de crevettes décortiquées
1 kg de moules
2 tomates
2 œufs durs

Débutante
Temps de préparation : 30 min
Temps de cuisson : 5 min

Préparez la gelée. Faites chauffer le vin avec le vermouth et le fond de poisson. Ajoutez les feuilles de gélatine trempées dans l'eau tiède et essorées. Retirez du feu dès que la gélatine est fondue. Laissez refroidir.

Dans une grande casserole, faites ouvrir les moules, bien lavées et grattées au préalable à feu vif. Secouez de temps en temps. Arrêtez la cuisson dès que toutes les moules sont ouvertes (5 minutes environ). Décortiquez-les et laissez refroidir.

Chemisez quatre petits moules de gélatine froide (mais pas encore prise). Laissez prendre 15 minutes au réfrigérateur.

Gelée :
1 dl de vin blanc sec fruité
1 c. à soupe de vermouth
1 dl de fond de poisson
4 feuilles de gélatine (8 g)

Ebouillantez les tomates, pelez-les et coupez-les en rondelles. Epépinez-les. Ecalez les œufs, coupez-les également en rondelles. Garnissez les moules de rondelles d'œufs et de tomate. Posez deux scampi dans chaque moule. Complétez avec les crevettes et les moules, et remplissez de gelée. Laissez prendre pendant quelques heures au réfrigérateur.

NB : Vous pouvez aussi utiliser un grand moule unique.

Moules au safran

(4 personnes)

1 1/2 kg de moules
2 échalotes
3 dl de vin blanc
persil
3 dl de crème
1 capsule de safran

Débutante
Temps de préparation : 10 min
Temps de cuisson : 10 min

Nettoyez et grattez les moules. Mettez-les dans une grande casserole avec les échalotes hachées, le vin blanc et quelques brins de persil. Laissez cuire à feu vif en secouant la casserole.

Passez le jus de cuisson et faites-le réduire pour obtenir 1 1/2 dl de liquide environ. Ajoutez la crème et le safran. Laissez épaissir à feu moyen.

Décortiquez les moules. Répartissez-les dans de petits plats à gratin individuels. Nappez de sauce et passez quelques instants sous le gril. Servez aussitôt.

Moules en casserole

(4 personnes)

1 kg de moules
2 gros oignons
2 poireaux
poivre en grains
1 verre de vin blanc sec

Débutante
Temps de préparation : 15 min
Temps de cuisson : 5 min

Dans une grande casserole, mettez les moules bien nettoyées, avec les oignons et les poireaux coupés en rondelles, le vin et quelques grains de poivre.

Faites chauffer à feu vif, en secouant la casserole pour faire remonter les moules cuites vers le dessus.

Servez dès que les moules sont ouvertes, avec du pain bis légèrement beurré ou des pommes de terre frites.

Moules en casserole

25

Huîtres au champagne

(4 personnes)

2 douzaines d'huîtres
1 dl de champagne brut (1 flûte)
sel, poivre
500 g d'épinards en branches
2 dl de crème
2 jaunes d'œufs

Cordon-bleu
Temps de préparation : 45 min
Temps de cuisson : 5 min

Ouvrez les huîtres, retirez-les de leur coquille avec leur eau. Conservez la partie inférieure des coquilles, que vous rincez.

Ajoutez le champagne à l'eau des huîtres, filtrée. Poivrez légèrement et amenez à ébullition. Retirez du feu. Placez les huîtres dans une petite passoire que vous plongez dans le liquide chaud pendant 15 secondes seulement. Egouttez.

Faites réduire le liquide à feu vif pour n'en conserver que 4 cuillers à soupe.

Lavez les épinards et faites-les tomber au beurre, avec du sel et du poivre. Hachez-les grossièrement. Mettez une cuillerée d'épinards dans chaque coquille, posez dessus une huître pochée.

Préparez la sauce. Fouettez la crème. Incorporez-y les jaunes d'œufs et versez le tout, en fouettant, dans la réduction de champagne. Faites épaissir au bain-marie, sans laisser bouillir.

Nappez les huîtres de cette sauce et faites "glacer" au four.

Glacer : faire chauffer sous le gril jusqu'à la formation d'une fine pellicule.

Huîtres chaudes à la bière

(4 personnes)

2 douzaines d'huîtres
5 dl de bière blonde
poivre
2 1/2 dl de crème fraîche
3 jaunes d'œufs
gros sel

Cordon-bleu
Temps de préparation : 30 min
Temps de cuisson : 10 min

Ouvrez les huîtres en recueillant l'eau. Détachez la chair. Filtrez le jus des huîtres et amenez-le à ébullition avec la bière. Mettez-y les huîtres à pocher pendant 1 minute, retirez-les à l'aide d'une écumoire.

Faites réduire le jus de cuisson à feu vif, pour obtenir une bonne louche de liquide. Battez la crème avec les jaunes d'œufs, versez-la dans le jus réduit et fouettez vivement à feu modéré, sans laisser bouillir.

Quand la sauce est bien mousseuse, retirez-la du feu. Poivrez (inutile de saler). Placez une huître dans chaque coquille. Calez les coquilles sur des assiettes recouvertes d'un lit de gros sel.

Répartissez la sauce dans les coquilles et passez au four très chaud pour faire dorer légèrement. Servez aussitôt.

Gratin de moules au maïs blanc

(4 personnes)

2 kg de moules fraîches
1 c. à soupe de beurre ou de margarine
2 dl de vin blanc sec
poivre en grains
1 1/2 dl de sauce armoricaine
1 capsule de safran
50 g de fromage râpé
2 boîtes de maïs blanc

Débutante
Temps de préparation : 15 min
Temps de cuisson : 10 min

Grattez bien les moules, lavez-les et faites-les ouvrir dans une casserole à feu vif, avec le beurre, le vin blanc, et le poivre.

Retirez les moules. Ajoutez à leur cuisson la sauce armoricaine et le safran.

Dans un plat à gratin, disposez en couches successives, du maïs, des moules décortiquées, du maïs, etc.

Parsemez de fromage râpé et faites gratiner à four chaud pendant 10 minutes.

Coquilles Saint-Jacques
aux chicons

(4 personnes)

8 ou 12 noix de Saint-Jacques
20 g de beurre ou de margarine
500 g de chicons
20 g de beurre
1 1/2 dl de porto rouge
1 c. à soupe de crème
2 échalotes
20 g de beurre
2 dl de vin blanc sec
sel, poivre

Cordon-bleu
Temps de préparation : 15 min
Temps de cuisson : 20 min

Emincez les chicons et faites-les revenir rapidement à la poêle dans le beurre chaud, en remuant. Ils ne doivent pas prendre couleur. Mouillez avec le porto et laissez réduire. Liez avec la crème fraîche et tenez au chaud.

Hachez finement les échalotes. Faites-les revenir dans le beurre. Mouillez avec le vin blanc et laissez réduire de moitié, sur feu moyen. Salez et poivrez.

Au dernier moment, faites poêler au beurre les noix de Saint-Jacques escalopées en tranches de 1/2 cm d'épaisseur. Disposez-les sur les assiettes chaudes. Garnissez de chicons et nappez de sauce.

Poissons

Congre en matelote
(4 personnes)

1 kg de congre (anguille de mer)
100 g de lard salé
1 c. à soupe d'huile
2 gros oignons
1 gousse d'ail
bouquet garni
5 dl de vin rouge
persil haché

Débutante
Temps de préparation : 15 min
Temps de cuisson : 25 min

Coupez le lard en dés. Faites-les revenir dans l'huile. Ajoutez les oignons émincés, l'ail écrasé et le bouquet garni. Mouillez avec le vin rouge et laissez mijoter à couvert pendant 15 minutes.

Découpez le poisson en 4 tronçons. Plongez-les dans la sauce et laissez cuire doucement à découvert pendant 10 minutes.

Dressez le poisson sur le plat de service chauffé. Laissez réduire un peu la sauce. Vous pouvez, si nécessaire, l'épaissir légèrement en y ajoutant peu à peu quelques noisettes de beurre manié.

Beurre manié : une noix de beurre travaillée avec 1 c. à soupe de farine, pour obtenir une pâte crémeuse, lie les sauces sans les alourdir.

Fagots de saumon à la nage

(4 personnes)

un morceau de 800 g de saumon
5 dl de vin blanc sec
1 oignon émincé
bouquet garni
sel, poivre
1 poireau
2 carottes
1 branche de céleri

Cordon-bleu
Temps de préparation : 30 min
Temps de cuisson : 35 min

Demandez au poissonnier de retirer l'arête du saumon et de couper celui-ci en tranches, comme du saumon fumé.

Préparez le fumet : faites bouillir l'arête de saumon avec le vin blanc, l'oignon, les aromates et 1 litre d'eau. Assaisonnez. Laissez cuire pendant 30 minutes à tout petit feu.

Nettoyez les légumes, taillez-les en fines allumettes. Répartissez-les sur les escalopes de saumon. Ficelez en fagots.

Passez le fumet et pochez-y les "fagots" pendant 4 minutes. Servez le poisson dans sa nage.

33

Choucroute au poisson

(4 personnes)

800 g de filets de poisson
2 échalotes
2 1/2 dl de vin blanc sec
1 1/2 dl de crème
600 g de choucroute crue
12 baies de genévrier
sel, poivre

Débutante
Temps de préparation : 10 min
Temps de cuisson : 30 min

Faites cuire la choucroute pendant 30 minutes dans un fond d'eau tiède additionnée de sel et de poivre. Gardez le chou un peu croquant.

Préparez la sauce en faisant réduire le vin blanc avec les échalotes finement hachées. Ajoutez la crème et donnez quelques bouillons.

Cuisez le poisson sur le gril ou à la poêle.

Pour servir, égouttez la choucroute et répartissez-la dans les assiettes. Posez le poisson dessus et nappez de sauce.

Le poisson peut également être cuit à la vapeur, au-dessus de la choucroute.

Filets de rougets au pastis

(2 personnes)

6 à 8 filets de rouget barbet
1 c. à soupe d'huile d'olive
1 botte de très jeunes poireaux
1 dl de fumet de poisson
1 dl de vin blanc sec
1 c. à soupe de pastis
1 échalote
sel, poivre
1 dl de crème

Débutante
Temps de préparation : 10 min
Temps de cuisson : 20 min

Faites chauffer le fumet de poisson avec le vin blanc. Nettoyez les poireaux que vous gardez entiers. Faites-les cuire dans le fumet. Ils doivent rester un peu fermes.

Laissez réduire le fumet de moitié. Ajoutez la crème. Laissez encore réduire pour obtenir une sauce veloutée. Parfumez avec le pastis.

Faites cuire les filets de rouget à la poêle dans l'huile d'olive, en commençant par le côté rouge. Disposez-les sur les assiettes. Accompagnez des poireaux et de la sauce au pastis.

Matelote d'anguilles

(4 personnes)

1 kg d'anguille
1 oignon
2 échalotes
1 gousse d'ail
persil, thym, laurier
1 c. à café de poivre en grains
sel
cognac
1 bouteille de vin rouge (75 cl)
200 g de petits oignons grelots
75 g de beurre

Débutante
Temps de préparation : 30 min
Temps de cuisson : 20 min

Demandez à votre poissonnier de dépouiller les anguilles et de les couper en tronçons de 5 cm environ.

Epluchez l'oignon et les échalotes, coupez-les en minces rondelles que vous mettez au fond d'une cocotte. Ajoutez l'ail, le bouquet garni et le poivre en grains.

Disposez les tronçons d'anguille sur ce lit. Arrosez d'un filet de cognac et mouillez avec le vin rouge. Salez et laissez cuire à feu vif pendant 20 minutes.

Pendant ce temps, épluchez les oignons grelots et faites-les revenir à feu doux dans une grosse noix de beurre.

Egouttez les anguilles à l'aide d'une écumoire. Mettez-les dans le plat de service, ainsi que les oignons.

Faites réduire la cuisson de moitié à feu vif. Hors du feu, montez la sauce au fouet en y incorporant peu à peu le reste du beurre.

Versez sur les anguilles et servez aussitôt avec des croûtons frits.

Filets de sole de l'abbaye

(4 personnes)

4 soles
1 bouteille de bière d'abbaye (33 cl)
le jus d'un demi-citron
1 1/2 dl de crème
sel, poivre
bouquet garni

Débutante
Temps de préparation : 20 min
Temps de cuisson : 30 min

Demandez au poissonnier de lever les filets de sole. Conservez les têtes et les arêtes que vous utiliserez pour le fumet.

Dans une casserole, mettez 1 l d'eau, la bière, les arêtes et les têtes de poisson, le bouquet garni. Laissez bouillir doucement pour réduire le liquide de moitié.

Pendant ce temps, roulez les filets de sole, que vous maintenez à l'aide de bâtonnets de bois.

Passez le fumet. Pochez-y les roulades de soles 5 minutes à feu doux. Egouttez-les, disposez-les sur le plat de service.

Ajoutez le jus de citron au court-bouillon, faites bouillir à feu vif pour obtenir environ 2 dl de liquide. Ajoutez la crème. Donnez encore quelques bouillons et versez sur les soles.

Harengs marinés

(4 personnes)

8 harengs
1 l de lait
2 c. à soupe de miel
5 dl de vinaigre de vin blanc sec
thym, laurier
4 clous de girofle

Débutante
Temps de préparation : 30 min en tout

La veille, parez les harengs en retirant têtes et arêtes. Lavez-les et faites-les tremper dans le lait froid sucré au miel.

Le lendemain, égouttez et rincez-les. Arrosez-les de vinaigre bouillant. Gardez au frais pendant quelques heures.

Rincez à nouveau les harengs. Mettez-les dans une terrine. Arrosez-les du vin dans lequel vous aurez fait infuser les aromates.

Ainsi préparés, les harengs peuvent se conserver plusieurs jours au réfrigérateur.

Paupiettes de lotte
aux échalotes glacées
(2 personnes)

2 médaillons de lotte
2 tranches de saumon fumé
12 petites échalotes
30 g de beurre ou de margarine
1 c. à soupe de sucre brun
2 dl de vin blanc doux

Cordon-bleu
Temps de préparation : 40 min
Temps de cuisson : 10 min

Epluchez les échalotes sans les écorcher et tapissez-en le fond d'une cocotte. Ajoutez de l'eau jusqu'à mi-hauteur des échalotes. Celles-ci ne doivent pas être recouvertes. Saupoudrez de sucre brun et parsemez de noisettes de beurre. Faites cuire à feu moyen. L'eau va s'évaporer et le fond se caraméliser. Secouez la cocotte pour faire rouler les échalotes sur elles-mêmes, sans les écraser, et les glacer dans le caramel sur tous les côtés.

Enveloppez les médaillons de lotte dans les tranches de saumon. Déposez-les dans une petite sauteuse beurrée. Salez, poivrez et ajoutez le vin blanc. Couvrez et passez au four chaud pendant 10 minutes.

Coupez les médaillons en tranches. Disposez-les sur les assiettes chaudes. Retirez délicatement les échalotes et disposez-les également dans les assiettes. Déglacez le caramel avec un petit verre de cuisson de la lotte. Filtrez et répartissez sur les assiettes.

Daurade farcie à la normande

(3 ou 4 personnes)

1 daurade

Farce :
100 g de lard maigre
1 tasse de mie de pain
2 1/2 dl de cidre brut
2 pommes
2 échalotes
1 citron
1 jaune d'œuf
2 c. à soupe de crème
30 g de beurre ou de margarine
4 oignons

Débutante
Temps de préparation : 10 min
Temps de cuisson : 30 min

Coupez le lard en morceaux. Passez-le au mixer avec la mie de pain trempée dans le lait puis essorée, les pommes et les échalotes épluchées et coupées en quartiers.

Ajoutez le jaune d'œuf et la crème. Farcissez la daurade de cet appareil.

Emincez les oignons. Disposez-les dans un plat beurré allant au four. Mettez la daurade dessus et mouillez avec le cidre. Faites cuire pendant 30 minutes à four chaud.

Blanquette de poisson

(4 personnes)

4 filets de sole
300 g de lotte
1 aile de raie
4 coquilles Saint-Jacques
2 1/2 dl de bière (type Duvel)
2 1/2 dl de fumet de poisson
2 1/2 dl de crème
250 g de petits oignons grelots
250 g de petits champignons de couche
sel, poivre
2 jaunes d'œufs

Débutante
Temps de préparation : 15 min
Temps de cuisson : 10 min

Mettez dans une casserole la bière, le fumet de poisson, la moitié de la crème, les petits oignons épluchés et les champignons nettoyés. Amenez à ébullition et laissez mijoter à découvert pendant une dizaine de minutes.

Ajoutez la lotte coupée en quatre médaillons puis, après 3 minutes, la raie coupée en quatre également et les filets de sole (roulés et maintenus par des bâtonnets). Laissez mijoter pendant 5 minutes. Terminez par les coquilles Saint-Jacques, qui ne demandent que 2 minutes de cuisson.

Battez les jaunes d'œufs avec le reste de la crème, versez cette liaison dans la sauce et servez aussitôt. Accompagnez de riz créole.

Truites au porto et à l'estragon

(4 personnes)

4 truites fraîches ou surgelées
sel, poivre
10 branches d'estragon
2 dl de porto blanc

Débutante
Temps de préparation : 5 min
Temps de cuisson : 20 min

Mettez à l'intérieur de chaque truite une branche d'estragon, du sel et du poivre.

Beurrez un plat qui va au four. Sur le fond, étalez les autres branches d'estragon. Posez les truites sur ce lit. Déposez sur chacune une noisette de beurre ou de margarine.

Faites cuire pendant 10 minutes à four chaud, en retournant les poissons à mi-cuisson. Nappez de porto et continuez la cuisson pendant 10 minutes, en arrosant fréquemment.

Truites au porto
et à l'estragon

Queue de cabillaud à la bière

(4 personnes)

1 morceau de cabillaud de 1 kg (dans la queue)
8 fines tranches de lard fumé
1 échalote
2 1/2 dl de bière blonde
sel, poivre
125 g de beurre ou de margarine
1 botte de poireaux

Débutante
Temps de préparation : 20 min
Temps de cuisson : 20 min

Enveloppez la queue de cabillaud dans les tranches de lard fumé. Ficelez. Hachez finement l'échalote et mettez-la dans une cocotte bien beurrée. Déposez le poisson dans la cocotte; ajoutez la bière, le sel et le poivre. Faites mijoter à feu doux et à couvert pendant 20 minutes.

Pendant ce temps, lavez et émincez les poireaux. Faites-les suer au beurre pendant 5 minutes, mouillez avec quelques cuillerées d'eau et laissez cuire encore 5 minutes. Les poireaux doivent rester un peu croquants.

Placez le cabillaud sur le plat de service en retirant les ficelles. Entourez-le de poireaux. Faites réduire la sauce de moitié et incorporez-y peu à peu le reste du beurre, en fouettant. Versez sur le poisson et servez aussitôt.

49

Merlans marchand de vin

(4 personnes)

4 merlans
sel, poivre, farine
40 g de beurre ou de margarine
4 échalotes
5 dl de vin blanc
chapelure
persil haché

Débutante
Temps de préparation : 10 min
Temps de cuisson : 20 min

Lavez et épongez les merlans nettoyés. Roulez-les dans la farine additionnée de sel et de poivre. Rangez dans un plat bien beurré.

Hachez finement les échalotes, enrobez-en les merlans et mouillez avec le vin blanc.

Parsemez de chapelure et de noisettes de beurre. Faites cuire pendant 20 minutes à four chaud. Garnissez de persil haché et servez aussitôt.

Raie au cidre

(4 personnes)

4 ailerons de raie
1 1/2 l de cidre
sel, poivre
2 c. à soupe de vinaigre de cidre
2 dl de crème fraîche
cerfeuil

Débutante
Temps de préparation : 5 min
Temps de cuisson : 50 min

Faites chauffer le cidre. Laissez frémir et pochez-y les ailerons de raie pendant 10 minutes.

Egouttez le poisson. Faites réduire le jus de cuisson à feu vif pour obtenir 5 dl de fumet environ. Incorporez le vinaigre et la crème. Donnez encore quelques bouillons.

Réchauffez la raie dans sa sauce onctueuse. Parsemez de pluches de cerfeuil et servez aussitôt.

Maquereaux marinés au vin blanc

(6 personnes)

12 petits maquereaux

Marinade :
1 1/2 l de vin blanc sec
2 dl de vinaigre de vin blanc
3 carottes
3 oignons
1 citron
sel, poivre en grains
2 clous de girofle
bouquet garni

Débutante
Temps de préparation : 10 min
(+ refroidissement de la marinade)
Temps de cuisson : 20 min environ

Préparez la marinade : épluchez les légumes, coupez-les en rondelles ainsi que le citron et faites-les bouillir doucement dans le vin et le vinaigre, avec les épices, pendant 10 minutes. Laissez refroidir.

Nettoyez les maquereaux. Rangez-les tête-bêche dans un plat allant au four ou dans une grande terrine. Recouvrez-les complètement de la marinade, sans retirer légumes et épices.

Mettez au four chaud. Dès que la marinade bout, comptez 5 minutes de cuisson et retirez du four. Laissez refroidir et mettez au frais.

Ce plat, qui se conserve très bien pendant plusieurs jours, doit reposer 24 heures au moins avant d'être consommé.

Bar au vin rouge

(6 personnes)

1 bar (loup de mer) de 2 kg environ
2 carottes
1 oignon
2 échalotes
1 branche de céleri
sel, poivre
bouquet garni
30 g de beurre ou de margarine

Sauce :
5 dl de vin rouge léger
1 dl de crème fraîche
ciboulette

Cordon-bleu
Temps de préparation : 20 min
Temps de cuisson : 45 min

Demandez au poissonnier de lever les filets et de vous donner les arêtes et la tête du poisson.

Epluchez et émincez les légumes, faites-les revenir rapidement dans le beurre chaud. Ajoutez les parures de poisson et le bouquet garni. Assaisonnez et mouillez avec 1 1/2 dl d'eau. Laissez bouillonner pendant 30 minutes.

Pendant ce temps, faites bouillir le vin rouge pour le réduire de moitié.

Filtrez le fumet et laissez pocher les filets de bar pendant 8 minutes. Egouttez et tenez-les au chaud.

Mélangez le vin réduit avec 3 dl de fumet filtré. Ajoutez la crème et faites épaissir la sauce à feu vif. Vérifiez l'assaisonnement et versez sur le poisson. Parsemez àvolonté de ciboulette avant de servir.

> *Le plat peut être préparé un peu à l'avance. Dans ce cas, vous réchaufferez les filets de poisson dans la sauce, juste avant de servir.*

Viande

Bœuf mode aux carottes
(4 personnes - 2 repas)

2 kg de bœuf à braiser (culotte)
150 g de lard frais
50 g de beurre ou de margarine
sel, poivre
1 petit verre de cognac
1 filet d'huile
1 kg de carottes
1/2 kg de petits oignons grelots

2 échalotes
bouquet garni
1 bouteille de vin blanc sec
5 dl de bouillon de bœuf (eau et cube)
100 g de couenne de porc

Cordon-bleu
Temps de préparation : 40 min
Temps de cuisson : 4 h

Coupez le lard en dés que vous roulez dans le sel et le poivre. Piquez-en la viande à l'aide d'une lardoire. A défaut, demandez au boucher de le faire pour vous.

Coupez la couenne en petits morceaux, faites-les blanchir quelques minutes dans un peu d'eau bouillante.

Dans un plat en terre cuite, placez la viande avec les échalotes hachées. Joignez le bouquet garni, arrosez d'un filet d'huile, mouillez avec le cognac et le vin. Laissez mariner pendant quelques heures.

Egouttez la viande, épongez-la bien et faites-la revenir sur toutes les faces dans le beurre chaud. Ajoutez les couennes de porc et la marinade.

Couvrez la cocotte et faites cuire à four chaud pendant 30 minutes, puis à four modéré pendant 2 h 30.

Nettoyez les carottes et les oignons, coupez les carottes en gros bâtonnets. Ajoutez les légumes et prolongez la cuisson pendant 30 minutes.

Le premier jour, la viande est servie comme un rôti, accompagnée de légumes et de sauce.

Pour le second repas : coupez le reste de viande en morceaux. Rangez-le dans un plat. Réchauffez le jus, versez-le sur la viande. Gardé au frais, le jus va se solidifier en gelée. Servez froid, bien entendu.

Daube provençale

(4 personnes)

1 rôti de bœuf de 800 g
30 g de beurre ou de margarine
100 g de lard salé
1 verre à liqueur de cognac
3 carottes
2 oignons
100 g d'olives noires
sel, poivre, bouquet garni
2 1/2 dl de vin rouge
2 dl d'eau

Débutante
Temps de préparation : 15 min
Temps de cuisson : 2 h

Coupez le lard en dés. Faites-les revenir au beurre. Retirez-les et mettez à leur place le rôti, à dorer sur toutes les faces.

Remettez les lardons dans la casserole, avec les carottes et les oignons émincés. Ajoutez les olives. Salez, poivrez et assaisonnez du bouquet garni.

Mouillez avec le vin et l'eau, couvrez et laissez cuire à feu très doux pendant 2 heures.

Le rôti en daube se mange chaud ou froid, au choix.

Pavés de bœuf sauce à la bière

(2 personnes)

1 chateaubriand de 400 à 500 g
30 g de beurre ou de margarine
1 bouteille de bière brune
sel, poivre
thym frais

Débutante
Temps de préparation : 5 min
Temps de cuisson : 5 à 10 min

Coupez le chateaubriand en deux. Faites chauffer le beurre dans une sauteuse et mettez-y la viande à saisir, selon le degré de cuisson désiré. Retirez la viande du feu et tenez-la au chaud.

Déglacez la sauteuse avec la bière et faites réduire fortement à feu vif, pour obtenir environ une louche de sauce. Ajoutez 1 c. à café de thym frais effeuillé.

Arrosez les pavés et accompagnez de légumes frais.

Daube provençale

Daube de bœuf aux carottes

(6 personnes)

800 g de bœuf
1 pied de veau
4 c. à soupe d'huile ou de margarine
bouquet garni
1 bouteille de vin rouge (7 1/2 dl)
250 g d'oignons grelots
1 kg de carottes

Débutante
Temps de préparation : 25 min
Temps de cuisson : 2 h 30

Coupez le bœuf en morceaux assez gros (50 g). Faites-les revenir en cocotte dans l'huile chaude et mettez-les de côté.

Dans la cocotte, faites revenir les petits oignons épluchés, puis 2 carottes coupées en dés. Ajoutez les morceaux de viande ainsi que le pied de veau. Assaisonnez du bouquet garni, salez, poivrez et mouillez avec le vin.

Laissez mijoter à couvert pendant 2 heures. Retirez alors le pied de veau et désossez-le. Coupez la chair en cubes et remettez-les dans la cocotte. Ajoutez le reste des carottes coupées en rondelles épaisses et poursuivez la cuisson pendant 30 minutes.

Le pied de veau rend la sauce très moelleuse.

Carbonnades de porc

(4 personnes)

600 à 800 g de basses côtes de porc
50 g de saindoux
4 oignons
1 gousse d'ail
1 c. à soupe de farine
4 cornichons
1 c. à soupe de concentré de tomates
1 c. à soupe de cassonade
2 dl de bière blonde
3 dl d'eau

Débutante
Temps de préparation : 20 min
Temps de cuisson : 1 h

Emincez les oignons et faites-les revenir dans le saindoux. Retirez-les avec une écumoire, réservez. A leur place, faites dorer les côtes de porc sur toutes les faces. Ajoutez l'ail, saupoudrez de farine et mélangez bien.

Remettez les oignons dans la casserole avec les cornichons coupés en rondelles, le concentré de tomates et la cassonade.

Mouillez avec la bière et l'eau. Couvrez et laissez cuire à petit feu pendant 1 heure. Servez avec du riz créole.

Carbonnades flamandes

(4 personnes)

1 kg de collier de bœuf
30 g de beurre ou de margarine
2 oignons
sel, poivre
1 tranche de pain
moutarde
2 1/2 dl de bière blonde
2 1/2 dl de bouillon (eau et cube)
bouquet garni

Débutante
Temps de préparation : 15 min
Temps de cuisson : 2 h

Emincez les oignons et faites-les revenir dans le beurre chaud. Ajoutez la viande coupée en gros morceaux. Faites-les dorer sur toutes les faces. Poivrez, ajoutez le bouquet garni et la tranche de pain garnie de moutarde.

Mouillez avec la bière et le bouillon et laissez mijoter pendant 2 heures. Vérifiez l'assaisonnement et servez.

Bœuf au maïs

(6 personnes)

1 kg 200 de basses côtes de bœuf
paprika doux
farine
30 g de beurre ou de margarine
3 c. à soupe d'huile
2 oignons
2 gousses d'ail
2 carottes
1 boîte (1/2 l) de tomates pelées
2 1/2 dl de vin blanc sec
1 cube de bouillon de bœuf
sel, poivre
1 grande boîte de maïs doux

Débutante
Temps de préparation : 15 min
Temps de cuisson : 1 h

Coupez la viande en morceaux. Roulez-les dans le paprika et dans la farine.

Faites chauffer le beurre avec l'huile. Rissolez-y l'oignon et l'ail émincés. Ajoutez la viande, que vous faites bien dorer sur toutes les faces, puis les carottes coupées en rondelles et enfin les tomates coupées en morceaux.

Mouillez avec le vin et 2 dl d'eau chaude dans laquelle vous aurez délayé le cube de bouillon. Salez et laissez mijoter à couvert pendant 1 heure environ.

Cinq minutes avant la fin de la cuisson, ajoutez le maïs égoutté.

Rôti de veau mariné

(6 personnes)

1 kg 200 d'épaule de veau
5 dl de vin blanc sec
2 carottes
1 échalote
bouquet garni
sel, poivre
30 g de beurre ou de margarine

Débutante

Temps de préparation : 10 min (+ 24 h de marinage)
Temps de cuisson : 1 h 15

Mettez le veau dans un plat en terre cuite. Ajoutez les carottes et l'échalote coupées en rondelles, le bouquet garni, du sel et du poivre. Mouillez avec le vin blanc et laissez mariner pendant 24 heures.

Essuyez la viande, faites-la dorer en cocotte dans le beurre chaud et laissez cuire à couvert pendant 1 h 15, à feu modéré.

Déglacez la cocotte avec la marinade. Laissez réduire de moitié à feu vif. Ajoutez la crème et laissez réduire encore à gros bouillons.

Découpez le rôti, nappez de sauce et servez avec des pommes de terre rissolées.

Jambonneau braisé au cidre

(4 personnes)

1 jambonneau de porc frais
800 g de navets
2 oignons
1 gousse d'ail
sel, poivre, muscade
5 dl de cidre sec

Débutante

Temps de préparation : 5 min
Temps de cuisson : 1 h

Epluchez les navets, coupez-les en quartiers et mettez-les dans une cocotte à fond épais, allant au four. Ajoutez l'ail et les oignons émincés.

Posez le jambonneau sur les légumes, assaisonnez et mouillez avec le cidre.

Laissez cuire pendant 1 heure environ, à four chaud. Servez avec une purée de pommes de terre.

Rôti de veau mariné

Pâté de veau à l'orange

(8 personnes)

1 kg d'épaule de veau désossée
1 pied de veau
1 barde de lard
3 oranges
1/2 citron
sel, poivre
5 dl de vin blanc

Débutante
Temps de préparation : 30 min
Temps de cuisson : 1 h 30
A préparer la veille

Tapissez une terrine de la barde de lard. Coupez l'épaule de veau en fines tranches. Désossez le pied de veau et coupez-le en petits morceaux.

Disposez dans la terrine une couche de tranches de veau, parsemez de zeste d'orange râpé. Ajoutez des morceaux de pied de veau, du sel, du poivre. Continuez à alterner pour remplir la terrine.

Pressez les oranges et le demi-citron. Mélangez les jus avec le vin blanc et versez sur la viande.

Couvrez la terrine et faites cuire pendant 1 h 30 à four moyen. Laissez refroidir. Conservez au réfrigérateur jusqu'au lendemain.

Démoulez pour servir. Garnissez de tranches d'orange.

Rôti de porc sauce trappiste

(6 personnes)

1 kg 200 de carré de porc à l'os
30 g de beurre ou de margarine
4 pommes
2 c. à soupe de cassonade
cannelle en poudre
2 échalotes
3 dl de bière trappiste
1 dl de crème fraîche

Débutante
Temps de préparation : 15 min
Temps de cuisson : 1 h

Demandez au boucher de désosser le carré et de vous donner l'os. Mettez-les ensemble dans un plat qui va au four, parsemez de noisettes de beurre et faites cuire pendant 1 heure à four modéré.

A mi-cuisson, disposez autour du rôti les pommes coupées en quartiers. Saupoudrez de cassonade et de cannelle, parsemez de noisettes de beurre. Poursuivez la cuisson en arrosant de temps en temps.

Retirez le rôti quand il est cuit, ainsi que les pommes. Ajoutez au jus de cuisson les échalotes hachées que vous laissez colorer un instant. Mouillez avec la bière.

Laissez réduire de moitié, ajoutez la crème et donnez quelques bouillons pour obtenir une belle sauce. Servez le rôti découpé, nappé de sa sauce onctueuse.

Boulettes à la bière blonde

(6 personnes)

600 g de hachis de veau
farine
30 g de beurre ou de margarine
3 oignons
2 1/2 dl de bière blonde
1 filet de vinaigre
sel, poivre, muscade

Débutante
Temps de préparation : 15 min
Temps de cuisson : 20 min

Emincez les oignons et faites-les dorer dans le beurre chaud. Retirez-les.

Formez avec la viande des boulettes de la taille d'une petite noix. Roulez-les dans la farine et faites-les revenir dans le beurre.

Remettez les oignons dans la cocotte, mouillez avec la bière et ajoutez au besoin un peu d'eau pour couvrir. Assaisonnez, versez un filet de vinaigre et laissez mijoter 20 minutes. Servez avec une purée de pommes de terre.

Rognonnade de veau au madère

(6 personnes)

750 g de noix de veau
1 rognon de veau
30 g de beurre ou de margarine
2 carottes
2 échalotes
bouquet garni
2 dl de madère

Débutante
Temps de préparation : 10 min
Temps de cuisson : 1 h

Demandez au boucher de vous préparer un rôti de noix de veau, dans lequel il introduira un rognon paré. Le rôti doit être bardé et ficelé.

Faites dorer la viande en cocotte, dans la matière grasse. Salez et poivrez. Ajoutez les carottes et les échalotes émincées. Ajoutez le bouquet garni et mouillez avec le madère. Laissez mijoter à couvert pendant 1 heure environ. Accompagnez de champignons sautés au beurre.

Rognonnade de veau
au madère

Daube d'agneau aux anchois

(4 personnes)

600 g d'épaule d'agneau dégraissée
20 g de beurre ou de margarine
2 1/2 dl de vin rouge
1 cube de bouillon de volaille
poivre, bouquet garni
4 filets d'anchois
250 g d'oignons grelots
250 g de céleri blanc
250 g de champignons de couche

Débutante
Temps de préparation : 20 min
Temps de cuisson : 1 h

Coupez la viande en dés que vous faites dorer rapidement dans le beurre chaud. Mouillez avec le vin et 2 dl d'eau. Joignez le cube de bouillon, poivre et bouquet garni. Couvrez et laissez mijoter pendant 30 minutes.

Epluchez les oignons, nettoyez les champignons et coupez le céleri en petits dés. Ajoutez les légumes dans le plat de cuisson ainsi que les filets d'anchois écrasés.

Continuez la cuisson à couvert pendant 30 minutes. Vérifiez l'assaisonnement et servez bien chaud.

Il se peut que certains vins trop jeunes confèrent à la sauce, même après cuisson, une couleur violacée peu appétissante. Le remède ? Retirer la viande de la sauce et prolonger la cuisson de celle-ci. Elle doit brunir.

Casserole de ris de veau

(4 personnes)

4 ris de veau
3 échalotes
200 g de champignons de couche
1 bouquet de persil
50 g de beurre ou de margarine
1 poignée de mie de pain
5 dl de bière d'abbaye
sel, poivre

Cordon-bleu
Temps de préparation : 30 min (+ 2 h de trempage)
Temps de cuisson : 30 min

Faites tremper les ris de veau pendant 2 heures dans de l'eau fraîche légèrement vinaigrée. Epluchez-les soigneusement et faites-les blanchir pendant 15 minutes à l'eau bouillante additionnée de sel. Egouttez-les.

Nettoyez les échalotes et les champignons. Hachez-les, ainsi que le persil. Ajoutez le beurre ramolli et la mie de pain, salez et poivrez.

Mettez 2 ris de veau dans le fond d'une petite cocotte. Recouvrez-les de la farce préparée, en tassant légèrement. Mouillez avec la moitié de la bière. Posez les 2 autres ris de veau par-dessus. Arrosez de bière.

Amenez à ébullition, couvrez et laissez mijoter pendant 30 minutes environ.

Foies de volailles au vin rouge

(4 personnes)

400 g de foies de volaille
farine
30 g de beurre ou de margarine
1 gousse d'ail
1 oignon
2 c. à soupe de fond brun
2 1/2 dl de vin rouge
2 c. à soupe de crème
ciboulette
sel, poivre

Débutante
Temps de préparation : 10 min
Temps de cuisson : 5 min

Dénervez les foies de volaille, entaillez-en légèrement les bords, roulez-les dans la farine et faites-les raidir dans le beurre chaud, avec l'ail pressé et l'oignon émincé.

Mouillez avec le vin et le fond brun. Ajoutez la crème et laissez mijoter à feu doux pendant 5 minutes.

Parsemez de ciboulette et servez aussitôt avec du riz.

Ris de veau au muscat

(4 personnes)

4 noix de ris de veau
3 1/2 dl de vin blanc muscat
1/2 dl de fond de veau
50 g de beurre ou de margarine
1 filet de vinaigre de framboise
250 g de gros raisins blancs
sel, poivre

Cordon-bleu
Temps de préparation : 10 min (+ 2 h de trempage)
Temps de cuisson : 5 min

Faites tremper les ris de veau pendant 2 heures dans de l'eau fraîche. Epluchez-les soigneusement.

Faites réduire de moitié le muscat avec le fond de veau. Hors du feu, incorporez le beurre par noisettes, en fouettant. Ajoutez un filet de vinaigre et assaisonnez.

Faites griller les noix de ris de veau. Sur l'assiette, entourez-les de grains de raisins épluchés. Nappez de sauce et servez chaud avec une salade.

Foies de volailles
au vin rouge

Volaille et gibier

Canard sauvage aux mandarines

(2 personnes)

1 canard sauvage
2 c. à soupe d'huile
1 noix de beurre ou de margarine
2 c. à soupe de vinaigre de vin
2 dl de bière (trappiste)
sel, poivre
2 mandarines
1 c. à soupe de beurre ou de margarine

Débutante
Temps de préparation : 10 min
Temps de cuisson : 40 min

Faites chauffer la matière grasse dans une cocotte et mettez-y le canard à revenir sur toutes les faces. Salez, poivrez, laissez cuire à couvert pendant 30 minutes, en plaçant le canard tantôt sur un flanc, tantôt sur l'autre.

Retirez le canard. Jetez la graisse de cuisson, déglacez la cocotte avec le vinaigre, puis la bière. Laissez réduire pendant quelques minutes.

Pendant ce temps, découpez le canard. Faites chauffer les quartiers de mandarine au beurre.

Servez sur chaque assiette une cuisse et une poitrine découpée en aiguillettes. Entourez de quartiers de mandarine et nappez de sauce.

Poulet sauté aux olives

(4 personnes)

1 poulet de 1 kg 200
2 c. à soupe d'huile
100 g de lard salé
2 oignons
2 gousses d'ail
2 dl de jus de tomates
2 dl de vin blanc sec
250 g d'olives noires
poivre

Débutante
Temps de préparation : 10 min
Temps de cuisson : 45 min

Coupez le poulet en morceaux. Faites revenir à l'huile avec le lard coupé en petits dés.

Hachez l'ail et l'oignon, joignez-les à la préparation. Laissez dorer un moment.

Mouillez avec le jus de tomates et le vin blanc. Ajoutez les olives, poivrez et laissez mijoter pendant 45 minutes.

Les olives noires sont suffisamment salées pour que vous n'ayez pas à ajouter de sel.

Poulet sauté
aux olives

Poularde au champagne

(6 personnes)

1 poularde de 1 kg 800 à 2 kg
30 g de beurre ou de margarine
2 c. à soupe d'huile
100 g de carottes
100 g de haricots verts
100 g de céleri
100 g de navets
1 truffe
2 échalotes
1/2 bouteille de champagne brut
2 dl de crème fraîche
3 jaunes d'œufs

Cordon-bleu
Temps de préparation : 45 min
Temps de cuisson : 20 min

Découpez la poularde en 8 morceaux. Faites-les revenir sur toutes les faces dans le mélange beurre-huile.

Retirez la volaille. Faites revenir les échalotes hachées, puis remettez la volaille. Couvrez, mouillez de champagne et laissez cuire doucement pendant 20 minutes.

Découpez en julienne carottes, haricots verts et céleri. Faites-les blanchir pendant 10 minutes à l'eau bouillante additionnée de sel. Egouttez-les.

Quand la poularde est cuite, réservez les morceaux au chaud. Faites réduire fortement la cuisson. Incorporez-y la crème fraîche.

Ajoutez les légumes en julienne et la truffe taillée en bâtonnets. Laissez mijoter pendant 5 minutes. Retirez les légumes à l'aide d'une écumoire. Disposez-les sur la poularde.

Dans une petite casserole, fouettez les jaunes d'œufs avec quelques cuillerées de sauce. Faites cuire à feu doux et incorporez peu à peu le reste de sauce, en fouettant sans arrêt. Vérifiez l'assaisonnement. Versez sur la poularde et servez aussitôt.

Coq au vin à l'orange

(6 à 8 personnes)

1 gros coq ou 2 poulets
3 c. à soupe d'huile
3 carottes
2 oignons
50 g de sucre semoule
1 dl de vinaigre de vin rouge
2 l de vin rouge corsé
1 gousse d'ail
bouquet garni
3 oranges

50 g de beurre ou de margarine
500 g de petits oignons grelots
500 g de petits champignons de couche
150 g de lard fumé
sel, poivre

Débutante
Temps de préparation : 1 h
Temps de cuisson : 2 h 15

Coupez le coq en gros morceaux. Faites chauffer l'huile dans une cocotte à fond épais et faites-y à revenir les abattis du coq, ainsi que sa cage thoracique. Ajoutez les carottes et les oignons coupés en rondelles.

Saupoudrez de sucre que vous laissez caraméliser. Mouillez aussitôt avec le vinaigre et mélangez bien. Laissez réduire pratiquement à sec.

Ajoutez le vin rouge, le jus des oranges, ail et bouquet garni. Laissez mijoter à couvert pendant 1 h 30. Retirez les os et passez le reste de la cuisson à la moulinette.

D'autre part, faites revenir les morceaux de coq dans le beurre chaud. Ajoutez-les à la sauce passée, ainsi que les petits oignons épluchés et les champignons nettoyés. Salez, poivrez.

Couvrez et laissez cuire pendant 30 minutes. Ajoutez le zeste des 3 oranges coupé en fine julienne et terminez la cuisson pendant 15 minutes.

Terrine de dinde au porto

(8 personnes)

600 g de filets de dinde
600 g d'échine de porc (spiering)
2 œufs
1 dl de porto
sel, poivre
2 c. à soupe de fines herbes hachées
1 barde de lard
3 feuilles de laurier

Débutante
Temps de préparation : 15 min (+ 2 h de marinage)
Temps de cuisson : 1 h 30
A préparer à l'avance

Coupez la moitié des filets en lanières que vous mettez à macérer dans le porto pendant 2 heures.

Hachez le reste avec l'échine de porc. Ajoutez les œufs, sel, poivre et fines herbes, puis le porto de macération.

Tapissez le fond et les côtés de la terrine de barde de lard. Remplissez de farce et de lanières de dinde, en alternant. Terminez par de la farce.

Recouvrez de barde, posez les feuilles de laurier dessus et faites cuire à four moyen, dans un bain-marie, pendant 1 h 30.

La terrine est meilleure après un jour ou deux.

Magret de canard aux cerises

(4 personnes)

2 magrets de canard
sel, poivre
4 c. à soupe de fond de volaille
3 dl de bière (kriek)
2 c. à soupe de crème fraîche
1 bocal de 500 g de cerises dénoyautées

Débutante
Temps de préparation : 10 min
Temps de cuisson : 20 min

Entaillez sur tout le pourtour l'épaisse peau grasse des magrets. Mettez-les dans une poêle chaude, sans matière grasse, côté peau. Faites cuire à feu assez vif pendant 10 minutes. Jetez la graisse rendue. Faites cuire l'autre face pendant 3 minutes. A ce stade, les magrets sont encore saignants. Prolongez la cuisson si vous les souhaitez rosés ou à point.

Retirez les magrets et tenez-les au chaud dans une feuille de papier aluminium par exemple. Déglacez la poêle avec le fond de volaille et la kriek. Donnez un bouillon. Ajoutez la crème, mélangez bien et laissez réduire à feu vif.

Réchauffez les cerises dans leur sirop. Egouttez-les. Servez les magrets débarrassés de leur graisse et coupés en biais, en tranches de 1/2 cm d'épaisseur. Entourez de cerises et nappez de sauce à la kriek.

Magret de canard
aux cerises

Canard mariné

(3 ou 4 personnes)

1 gros canard
30 g de beurre ou de margarine
1 dl de porto
6 baies de genévrier
6 grains de poivre
2 branches de thym

Marinade :
1 carotte
1 oignon
1 branche de céleri
1 échalote
1 gousse d'ail
5 dl de vin rouge
3 c. à soupe de vinaigre

Débutante
Temps de préparation : 15 min (+ 24 h de marinage)
Temps de cuisson : 1 h 05

A l'intérieur du canard, mettez les baies de genévrier, le poivre, le thym, un peu de sel et 2 c. à soupe de porto.

Préparez la marinade. Faites bouillir le vin et le vinaigre avec les légumes coupés en julienne. Versez aussitôt sur le canard et laissez mariner pendant 24 heures en retournant de temps en temps.

Egouttez le canard. Epongez-le et faites-le rôtir à four chaud. Dès qu'il a pris couleur, arrosez-le régulièrement avec la marinade passée.

Après 1 heure de cuisson, arrosez le canard avec le reste de porto. Salez, poivrez et remettez au four pendant quelques minutes.

Servez le canard découpé, accompagné, par exemple, de navets glacés.

Lapin à la flamande

(4 personnes)

1 lapin

30 g de beurre ou de margarine
1 c. à soupe de farine
200 g de pruneaux
1 c. à soupe de gelée de groseilles
sel, poivre

Débutante
Temps de préparation : 10 min
Temps de cuisson : 1 h 30

Découpez le lapin en huit morceaux que vous mettez à mariner avec tous les ingrédients indiqués.

Le lendemain, égouttez les morceaux et épongez-les bien. Faites-les revenir en cocotte dans le beurre chaud. Saupoudrez de farine, assaisonnez et mélangez.

Versez la marinade froide sur le lapin. Amenez à ébullition. Couvrez et laissez mijoter pendant 1 h 30. A mi-cuisson, ajoutez les pruneaux.

Marinade :
1 l de bière brune
1/2 dl de vinaigre
thym, laurier

Mettez les morceaux de lapin sur le plat de service. Liez la sauce avec la gelée de groseilles et versez-la sur la viande. Servez bien chaud avec des croquettes de

La marinade doit être préparée la veille. Faites tremper les pruneaux s'ils sont très secs.

Lapin au cidre

(4 à 6 personnes)

1 lapin
30 g de beurre ou de margarine
2 c. à soupe d'huile
3 c. à soupe de calvados
2 échalotes
ciboulette
2 c. à soupe de farine
5 dl de cidre
bouquet garni
1 gousse d'ail
1 clou de girofle
sel, poivre
3 navets

Débutante
Temps de préparation : 25 min
Temps de cuisson : 1 h

Coupez le lapin en morceaux que vous faites revenir dans le beurre et l'huile. Arrosez de calvados, flambez.

Hachez les échalotes, découpez la ciboulette aux ciseaux. Mettez-les autour du lapin et faites revenir. Saupoudrez de farine, mélangez bien.

Mouillez avec le cidre. Mettez dans la cocotte le bouquet garni et les épices. Couvrez, laissez mijoter pendant 35 minutes.

Epluchez les navets. Coupez-les en quartiers. Faites-les blanchir à l'eau bouillante pendant 2 minutes, puis hachez-les. Ajoutez-les à la cuisson du lapin. Laissez cuire encore pendant 35 minutes.

Servez avec des croûtons et une compote de pommes.

Terrine de lapin à la bière
(10 à 12 personnes)

2 lapins de garenne
500 g de porc maigre
200 g de lard gras
1 barde de lard
1 c. à soupe de saindoux
2 oignons
2 carottes
bouquet garni
1 gousse d'ail
sel, poivre
1 c. à soupe de persil haché

Marinade :
1 bouteille de bière d'abbaye
thym, laurier
1 c. à café de poivre en grains

Cordon-bleu
Temps de préparation : 1 h (+ 24 h de marinage)
Temps de cuisson : 1 h 30

Désossez les lapins. Réservez les filets et les foies que vous mettez à mariner pendant 24 heures dans la bière avec les aromates.

Le lendemain, concassez les os de lapin et les têtes, faites-les revenir dans le saindoux avec les oignons, les carottes, l'ail et le bouquet garni. Mouillez avec la marinade et faites bouillir vivement pour réduire le liquide à 1 dl environ. Passez-le.

Hachez finement le reste des chairs des lapins, le porc et le lard. Assaisonnez, ajoutez le persil et la marinade.

Coupez en dés les foies de lapin. Faites-les raidir rapidement dans un peu de beurre. Mélangez-les à la farce.

Tapissez l'intérieur d'une terrine de la barde de lard. Mettez une couche de farce au fond, posez les filets marinés dessus. Recouvrez de farce et repliez la barde par-dessus.

Couvrez la terrine et faites cuire pendant 1 h 30 à four moyen, dans un bain-marie.

> *Cette savoureuse terrine se conserve quelques jours au réfrigérateur.*

Râble de lièvre poivrade

(2 personnes)

1 râble de lièvre
sel, poivre
80 g de beurre ou de margarine
4 c. à soupe de fond de viande

Marinade :
2 bouteilles de bière d'abbaye
1 carotte
1 oignon
1 branche de céleri vert
4 baies de genévrier
2 feuilles de laurier
1 branche de thym
10 grains de poivre
1 filet d'huile

Débutante
Temps de préparation : 30 min (+ 24 h de marinage)
Temps de cuisson : 15 min

Coupez en julienne la carotte, l'oignon et le céleri. Ajoutez les épices, l'huile et la bière. Plongez le râble dans cette marinade et gardez-le au frais (mais pas au réfrigérateur) pendant au moins 24 heures.

Essuyez le râble. Mettez-le dans un plat allant au four. Salez, poivrez, parsemez de noisettes de beurre et faites cuire environ 15 minutes à four moyen.

Pendant ce temps, faites réduire la marinade à feu vif. Passez-la au chinois, ajoutez le fond de viande et faites cuire à feu doux pendant quelques minutes. Hors du feu, incorporez peu à peu le reste du beurre à la sauce, en fouettant.

Découpez le râble en fines aiguillettes que vous disposez sur les assiettes. Nappez de sauce. Servez le reste de la sauce en saucière. Accompagnez d'une purée de céleri-rave.

Civet de marcassin au rhum

(4 personnes)

800 g d'épaule de marcassin
30 g de beurre
1 dl de crème fraîche
1 gousse d'ail
2 carottes
2 échalotes
1 branche de céleri
1 tomate
2 bananes
bouquet garni
sel, poivre
1 bouteille de vin rouge corsé (7 1/2 dl)
1 petit verre de rhum

Débutante
Temps de préparation : 15 min
Temps de cuisson : 1 h 45

Epluchez les légumes et pelez les bananes. Coupez-les en petits dés et faites-les bouillir vivement dans le vin rouge, avec le bouquet garni.

Coupez le marcassin en morceaux. Faites-les bien colorer dans le beurre chaud. Egouttez-les et ajoutez-les dans la sauce. Salez et poivrez.

Laissez mijoter à couvert pendant 1 heure. Ajoutez le rhum et poursuivez la cuisson pendant 30 minutes. Servez avec des nouilles fraîches.

Les marinades et les sauces

Le but des marinades est d'attendrir la viande et d'enrichir sa saveur.

Les marinades peuvent être crues ou cuites, préparées au vin blanc ou au vin rouge. Les autres ingrédients sont généralement des légumes (oignons, échalotes, carottes, céleri) et des aromates (persil, laurier, ail, thym, poivre en grains). Un filet de vinaigre de vin ou de cidre assure une meilleure conservation et attendrit la viande.

Marinade crue au vin blanc

Dans un récipient, mettez 5 dl de vin blanc sec, le zeste séché d'une orange, sel, poivre en grains, thym, laurier, sarriette, une pincée de gingembre et quelques grains d'anis. Laissez-y mariner pendant 24 heures un lapin ou un lièvre.

N'utilisez jamais d'ustensiles métalliques avec les marinades. Ceux-ci pourraient s'oxyder au contact du vinaigre. Les récipients devront être en verre, en porcelaine ou en terre cuite vernissée (non poreuse).

Marinade cuite pour gros gibier

Nettoyez et émincez finement 2 carottes, 2 oignons, 2 échalotes, 1 gousse d'ail. Faites-les revenir dans 2 c. à soupe d'huile. Mouillez avec 7 1/2 dl de vin rouge et 1 dl de vinaigre de vin. Ajoutez un bouquet garni (thym, laurier, persil), 1 c. à café de poivre en grains et 1 c. à café de sel. Amenez à ébullition, laissez cuire doucement pendant 30 minutes. Vous utiliserez cette marinade chaude pour le marcassin, et froide pour le lièvre, le chevreuil, etc.

Sauce aux raisins pour gibiers

parures de gibier
30 g de beurre ou de margarine
bouquet garni
1 gousse d'ail
1 échalote
1 c. à soupe de farine
7 1/2 dl de bière brune
1 c. à soupe d'extrait de viande
sel, poivre
50 g d'amandes
50 g de raisins de Corinthe

Débutante
Temps de préparation : 15 min
Temps de cuisson : 1 h 10

Conservez les parures de gibier et faites-les revenir dans le beurre chaud. Ajoutez l'ail et l'échalote hachés, ainsi que le bouquet garni.

Saupoudrez de farine, mélangez bien, laissez roussir un peu et mouillez avec la bière. Ajoutez l'extrait de viande, très peu de sel, du poivre. Laissez cuire pendant 1 heure à feu très doux.

Passez au chinois, puis faites réduire pour obtenir la quantité désirée. Ajoutez les amandes hachées et les raisins gonflés à l'eau tiède. Vérifiez l'assaisonnement.

Accompagne rôtis de gibier, médaillons, etc.

Sauce sabayon à la bière blanche

3 œufs
1 c. à café de moutarde
150 g de beurre ou de margarine
1 1/2 dl de bière blanche
sel, poivre

Débutante
Temps de préparation : 15 min

Dans une petite casserole, fouettez les jaunes d'œufs avec la moutarde.

Ajoutez la bière, en fouettant, à feu très doux. Versez peu à peu le beurre à peine fondu, pour obtenir une sauce crémeuse. Rectifiez l'assaisonnement.

Servez avec des asperges ou du poisson poché.

Sauce marchand de vin

La sauce marchand de vin se prépare comme la sauce bordelaise. Après réduction, au lieu d'incorporer de l'extrait de viande, passez la sauce et ajoutez-y des tranches de moelle pochées.

Pour cuire la moelle : coupez-la en rondelles que vous mettez dans une passoire. Plongez la passoire dans de l'eau presque bouillante, pendant 2 à 3 minutes, jusqu'à ce que la moelle devienne translucide.

Attention, la moelle ne doit pas bouillir.

Sauce bordelaise

3 échalotes
30 g de beurre ou de margarine
1 c. à soupe de farine
3 1/2 dl de vin rouge
sel, poivre
bouquet garni
1/2 c. à café d'extrait de viande

Débutante
Temps de préparation : 5 min
Temps de cuisson : 20 min

Hachez finement les échalotes et faites-les revenir au beurre. Saupoudrez de farine, laissez roussir un peu et mouillez avec le vin rouge. Ajoutez le bouquet garni.

Laissez réduire de moitié, à feu doux. Incorporez l'extrait de viande, vérifiez l'assaisonnement.

Servez avec une viande rouge poêlée.

Sauce de viande au vin blanc

4 c. à soupe de jus de rôti
2 dl de vin blanc
1 c. à soupe de concentré de tomates
20 g de beurre ou de margarine
sel, poivre

Débutante
Temps de préparation : 10 min

Mélangez le jus de rôti avec le vin blanc et le concentré de tomates.

Laissez bouillir à petit feu pour réduire de moitié. Hors du feu, incorporez le beurre émietté, en fouettant. Vérifiez l'assaisonnement.

Cette sauce savoureuse accompagne toutes les viandes rôties.

Beurre blanc

1 dl de vin blanc sec
1 dl de vinaigre de vin blanc
2 échalotes
sel, poivre
250 g de beurre

Cordon-bleu
Temps de préparation : 20 min
Temps de cuisson : 10 min

Hachez très finement les échalotes et mettez-les dans une petite casserole à fond épais, avec le vin et le vinaigre. Laissez réduire à feu vif jusqu'à ce qu'il ne reste plus que 1 c. à café de liquide.

Salez, poivrez et incorporez peu à peu le beurre coupé en dés. Travaillez à feu très doux et fouettez constamment pour émulsionner le beurre plutôt que de le faire fondre.

Un conseil : pour un meilleur résultat, ne sortez le beurre du réfrigérateur qu'au tout dernier moment et coupez-le en petits cubes que vous incorporez un à un.

Beurre rouge

3 échalotes
4 dl de vin rouge
1 c. à soupe de crème
250 g de beurre
sel, poivre

Débutante
Temps de préparation : 10 min
Temps de cuisson : 15 min

Epluchez les échalotes, hachez-les finement et mettez-les dans une sauteuse avec le vin rouge. Faites réduire à petit feu jusqu'à évaporation complète du vin.

Ajoutez la crème puis incorporez peu à peu le beurre par petites parcelles, à feu très doux, en fouettant sans arrêt.

Passez au chinois.

Ce beurre rouge accompagne très agréablement les poissons frits ou grillés.

Pâtisseries et desserts

Pain perdu au vin rouge
(4 personnes)

4 tranches de pain rassis
2 1/2 dl de vin rouge
2 c. à soupe de sucre
1 pincée de cannelle en poudre
2 œufs et 1 jaune
50 g de beurre ou de margarine

Débutante
Temps de préparation : 10 min
Temps de cuisson : 5 min

Faites bouillir le vin avec le sucre et la cannelle. Laissez-le tiédir.

Battez les œufs avec le jaune d'œuf supplémentaire. Trempez les tranches de pain dans le vin, égouttez-les avant de les passer dans l'œuf.

Chauffez le beurre dans une grande poêle, faites-y dorer les tranches de pain perdu, de chaque côté.

Servez aussitôt, avec du sucre en poudre ou de la cassonade.

Fraises au vin rouge
(4 à 6 personnes)

500 g de fraises
7 1/2 dl de vin rouge
2 1/2 dl de jus d'orange
1/4 c. à café de cannelle en poudre
1 clou de girofle
75 g de sucre

Débutante
Temps de préparation : 10 min (+ refroidissement)
Temps de cuisson : 5 min

Faites chauffer le vin avec le sucre, le jus d'orange, la cannelle et le clou de girofle. Retirez du feu au premier bouillon et laissez refroidir.

Choisissez des fraises pas trop grosses. Lavez puis égouttez-les. Répartissez-les dans des coupes. Arrosez du vin refroidi. Servez frais.

Fraises au vin rouge

Sorbet de vin rouge aux framboises

(6 personnes)

150 g de sucre
5 dl de vin rouge jeune
menthe fraîche
250 g de framboises

Débutante
Temps de préparation : 10 min (+ 2 h de macération
et 3 h de congélation)

Faites bouillir le vin avec le sucre et quelques feuilles de
menthe, pour dissoudre complètement le sucre. Versez
sur les framboises légèrement écrasées.

Laissez macérer pendant 2 à 3 h en remuant de temps en
temps.

Retirez les feuilles de menthe et passez au mixer. Faites
prendre au surgélateur pendant quelques heures en
remuant souvent pour éviter la formation de cristaux.

Servez dans des verres à glace. Décorez de feuilles de
menthe.

---

*Pour obtenir des feuilles de menthe très décoratives,
trempez-les dans de l'eau sucrée et mettez-les à
durcir au surgélateur.*

Crème glacée à la bière

(4 à 6 personnes)

5 dl de lait
2 dl de bière (trappiste)
150 g de sucre blond (cassonade)
3 dl de crème fraîche
8 jaunes d'œufs

Cordon-bleu
Temps de préparation : 1 h (+ 24 h pour glacer)
A préparer la veille

Faites bouillir le lait avec la bière et la moitié de la
cassonade.

D'autre part, battez les jaunes d'œufs avec le reste de la
cassonade jusqu'à ce que le mélange soit presque blanc.

Versez-y le lait bouillant, en remuant, et faites cuire à
feu très doux, en agitant sans arrêt avec la cuiller en bois.
La préparation ne doit pas bouillir : retirez la crème du
feu dès qu'elle nappe la cuiller.

Hors du feu, ajoutez la crème fraîche, et remuez de
temps en temps jusqu'à refroidissement complet, pour
éviter la formation d'une pellicule à la surface.

Mettez en sorbetière et faites glacer.

Soupe de fruits
au vin rouge

(4 personnes)

4 oranges
jus d'un demi-citron
1 c. à soupe de maïzena
7 1/2 dl de vin rouge
200 g de sucre
12 feuilles de menthe fraîche
1 c. à café de thé
300 g de cerises
100 g de fraises des bois

Débutante
Temps de préparation : 30 min
Temps de cuisson : 20 min

Emincez le zeste d'une orange et faites-le pocher dans un peu d'eau additionnée du jus de citron. Egouttez et passez sous l'eau froide.

Amenez le vin à ébullition. Ajoutez le zeste et le sucre et laissez réduire de moitié. Hors du feu, incorporez la maïzena délayée dans 2 c. à soupe d'eau.

Mettez le thé et les feuilles de menthe dans un nouet. Faites infuser dans le vin chaud. Laissez refroidir complètement. Mettez au réfrigérateur.

Pelez les oranges à vif. Séparez-les en quartiers et supprimez les peaux. Dénoyautez les cerises. Mettez tous les fruits dans un saladier. Arrosez du vin aromatisé.

Accompagnez d'une crème glacée à la vanille.

Crème william

(4 personnes)

5 dl de lait
4 jaunes d'œufs
100 g de sucre
4 c. à soupe d'eau-de-vie de poire
2 poires au sirop

Débutante
Temps de préparation : 15 min
Temps de cuisson : 15 min
A préparer la veille

Faites bouillir le lait. Pendant ce temps, travaillez les jaunes d'œufs avec le sucre, jusqu'à ce que le mélange blanchisse.

Versez-y le lait bouillant en remuant et faites cuire à feu très doux. Faites épaissir sans cesser de tourner, jusqu'à ce que le mélange nappe la cuiller.

Versez la crème dans une jatte et laissez refroidir en remuant de temps en temps.

Passez au mixer les poires. Incorporez-les à la crème, ainsi que l'eau-de-vie de poire. Servez très frais.

Zabaione spumante

(4 personnes)

225 g de sucre
6 jaunes d'œufs
1 dl de spumante (mousseux)
1 dl de marsala

Cordon-bleu
Temps de préparation : 5 min
Temps de cuisson : 10 min

Travaillez le sucre et les jaunes d'œufs dans une terrine, en fouettant. Mettez la terrine dans un bain-marie. Ajoutez le spumante et le marsala.

Continuez à fouetter à feu doux, jusqu'à ce que le mélange épaississe et double de volume.

Versez dans des coupes ou des flûtes à champagne et servez aussitôt.

Crème william

Petits pots de crème vigneronne

(6 personnes)

3 1/2 dl de vin blanc liquoreux
150 g de miel
1 zeste de citron
4 œufs entiers + 2 jaunes
6 morceaux de sucre

Débutante
Temps de préparation : 20 min
Temps de cuisson : 30 min

Dans une casserole, faites bouillir doucement le vin avec le miel et le zeste de citron râpé très finement. Laissez tiédir un peu.

Battez fortement les œufs entiers et les jaunes. Ajoutez peu à peu le lait chaud, en continuant à fouetter.

Faites fondre le sucre dans une petite casserole avec 2 cuillerées d'eau. Laissez-le caraméliser. Répartissez le caramel dans 6 petits pots individuels. Laissez prendre.

Versez la crème dans les moules et faites cuire au bain-marie à four moyen pendant 30 minutes.

Sabayon au porto

(6 personnes)

6 jaunes d'œufs
150 g de sucre semoule
2 dl de porto rouge

Débutante
Temps de préparation : 5 min
Temps de cuisson : 10 min

Dans une petite casserole, travaillez longuement les jaunes d'œufs avec le sucre pour obtenir un mélange blanc mousseux.

Faites chauffer à feu très doux (ou au bain-marie) et ajoutez-y peu à peu le porto, en fouettant sans arrêt.

Continuez à fouetter jusqu'à ce que la crème sabayon ait doublé de volume. Servez aussitôt dans des verres à pied.

Crème à la kriek

(6 personnes)

2 bouteilles de bière (kriek)
200 g de sucre semoule
6 œufs
4 feuilles de gélatine (8 g)

Débutante
Temps de préparation : 15 min
Temps de cuisson : 50 min

Faites bouillir la bière. Fouettez les jaunes d'œufs avec le sucre pour obtenir une crème blanchâtre. Versez-y doucement la bière chaude, en remuant constamment, et faites épaissir à feu très doux, sans laisser bouillir.

Hors du feu, ajoutez les feuilles de gélatine, préalablement ramollies dans un peu d'eau tiède. Mélangez bien et laissez tiédir.

Répartissez la préparation dans dix petits ramequins, préalablement mouillés à l'eau froide. Faites cuire pendant 45 minutes au four, dans un bain-marie.

Laissez refroidir complètement avant de démouler.

Sorbet au champagne

(6 personnes)

5 dl de champagne brut
5 dl de sirop de sucre de canne
le jus d'un citron

Débutante
Temps de préparation : 3 min (+ 2 h pour glacer)

Mélangez champagne, sirop et jus de citron. Versez dans le bac à glaçons de votre réfrigérateur.

Mettez au freezer et laissez prendre, en grattant de temps en temps la surface à la fourchette pour favoriser la formation de paillettes.

Servez dans des flûtes à champagne.

Il faut répartir le mélange dans plusieurs cubes du bac à glaçons, de façon que l'épaisseur du liquide ne dépasse pas 3 cm.

Sherry trifle

(8 personnes)

1 paquet de biscuits à la cuiller
2 1/2 dl de sherry (xérès) doux

Crème :
6 jaunes d'œufs
75 g de sucre
5 dl de lait
1 gousse de vanille
5 dl de crème à fouetter
6 g de gélatine (3 feuilles)
200 g de framboises

Débutante
Temps de préparation : 30 min (+ 2 h d'attente)
Temps de cuisson : 10 min

Préparez la crème anglaise. Faites bouillir le lait avec la gousse de vanille fendue en deux. Dans une casserole, battez les jaunes d'œufs avec le sucre pour obtenir un mélange crémeux.

Versez le lait bouillant sur le mélange œufs-sucre, en remuant constamment. Faites cuire à feu très doux et laissez épaissir en continuant à remuer jusqu'à ce que la crème commence à napper la cuiller. Ne laissez surtout pas bouillir.

Laissez tiédir légèrement la crème, avant d'y incorporer la gélatine, préalablement ramollie dans de l'eau tiède et bien égouttée. Laissez refroidir complètement.

Pendant ce temps, mettez au fond d'un plat profond (un saladier par exemple), une double couche de biscuits à la cuiller. Arrosez les biscuits de sherry. Ceux-ci vont l'absorber complètement.

Quand la crème à la gélatine commence à prendre, incorporez-y délicatement la moitié de la crème fraîche, bien fouettée. Versez cette couche de crème sur les biscuits et laissez bien prendre.

Fouettez le reste de crème et incorporez-y le sucre. Déposez les framboises sur la crème prise et recouvrez complètement de rosettes de crème fouettée.

Servez bien frais, sans démouler.

Sorbet au sauternes

(4 à 6 personnes)

300 g de sucre semoule
2 1/2 dl d'eau
2 dl de sauternes
le jus d'un citron
1 blanc d'œuf

Débutante
Temps de préparation : 10 min (+ 2 h pour glacer)

Préparez un sirop en faisant bouillir l'eau avec 250 g de sucre. Laissez bouillir pendant 5 minutes, puis laissez refroidir complètement.

Mélangez le sirop avec le sauternes et le jus de citron. Versez-le dans le bac à glaçons du réfrigérateur.

Mettez au freezer et laissez prendre pendant 2 heures, en remuant souvent pour éviter la formation de cristaux.

Fouettez le blanc d'œuf. Incorporez-y les 50 g de sucre restants. Mélangez avec le sirop glacé.

Remettez au freezer et continuez à glacer pendant 1 heure.

Servez dans des coupes à champagne.

Au moment de servir, vous pouvez ajouter à chaque coupe une rasade de sauternes bien frappé.

Mirabelles à la crème au vin blanc

(4 personnes)

500 g de mirabelles
1/2 citron
3 jaunes d'œufs
1 c. à soupe de maïzena
75 g de sucre
5 dl de vin blanc doux

Débutante
Temps de préparation : 5 min
Temps de cuisson : 10 min

Faites pocher les mirabelles pendant 3 min dans un peu d'eau sucrée. Egouttez-les et laissez refroidir.

Dans une casserole, travaillez les jaunes d'œufs avec le sucre et la maïzena. Ajoutez le jus de citron, puis le vin blanc.

Faites épaissir à feu doux en remuant sans arrêt. Retirez au tout premier bouillon. Laissez refroidir en remuant de temps en temps.

Répartissez les mirabelles dans les assiettes et nappez de crème au vin blanc

Hors saison, vous pouvez utiliser des mirabelles en conserve ou d'autres fruits frais.

Flans à la bière

(4 personnes)

5 dl de bière d'abbaye
150 g de sucre semoule
4 jaunes d'œufs
2 œufs entiers

Débutante
Temps de préparation : 10 min (+ 1 heure)
Temps de cuisson : 30 min

Amenez la bière à ébullition avec le sucre et laissez refroidir.

En fouettant, incorporez peu à peu à la bière les jaunes d'œufs et les œufs entiers. Passez au chinois pour éliminer les petits filaments.

Répartissez la crème dans de petits ramequins, que vous placez au four dans un fond d'eau. Faites cuire à four modéré pendant 30 min environ, jusqu'à ce que les œufs soient pris.

Laissez refroidir et servez frais.

*Mirabelles à la crème
au vin blanc*

Gâteau au vin rouge

(4 personnes)

125 g de beurre ou de margarine
3 œufs
150 g de sucre semoule
1 sachet de sucre vanillé
1 c. à café de cannelle en poudre
175 g de farine
1/2 sachet de poudre à lever (levure chimique)
100 g de noisettes hachées
2 dl de vin rouge

Débutante
Temps de préparation : 20 min
Temps de cuisson : 40 min

Travaillez le beurre en pommade, avec les jaunes d'œufs, le sucre semoule et le sucre vanillé.

Mélangez la farine avec la cannelle, la levure et les noisettes finement hachées. Incorporez-la peu à peu à la pâte, en alternant avec le vin.

Montez les blancs d'œufs en neige ferme et incorporez-les délicatement à la préparation.

Versez la pâte dans un moule à cheminée beurré et fariné. Faites cuire environ 40 minutes à four moyen.

Une lame de couteau plongée dans la pâte doit en ressortir sèche.

Démoulez et laissez refroidir sur grille.

A déguster nature ou accompagné d'une mousse de fraises.

Cake au cidre et aux pommes

(8 personnes)

150 g de beurre ou de margarine
2 dl de cidre
1 œuf
300 g de farine
100 g de cassonade
200 g de pommes épluchées
100 g de raisins secs

Débutante
Temps de préparation : 15 min
Temps de cuisson : 1 h 30

Travaillez le beurre avec l'œuf et la cassonade pour obtenir une préparation homogène. Incorporez le cidre, puis la farine, par cuillerées.

Coupez les pommes en tout petits dés ou râpez-les. Ajoutez à la pâte, ainsi que les raisins, préalablement roulés dans un peu de farine.

Versez la pâte dans un moule à cake beurré et chemisé de papier aluminium. Parsemez de sucre perlé et faites cuire pendant 1 h 15 environ à four moyen préchauffé.

Vérifiez la cuisson en plongeant une lame de couteau au centre du cake. Laissez refroidir 10 minutes avant de démouler.

Poires au sorbet

(6 personnes)

6 poires fermes
1 orange
1 citron
1 bouteille de vin rouge de la Loire
1 pincée de cannelle
1 clou de girofle
1 c. à soupe de poivre vert
150 g de sucre semoule

Débutante
Temps de préparation : 10 min
Temps de cuisson : 15 min (+ 2 h pour glacer)
A préparer la veille

Pelez finement l'orange et le citron et mettez les zestes dans une casserole avec le vin rouge, les épices et le sucre. Amenez à ébullition.

Pelez les poires, mettez-les dans le vin et laissez cuire à frémissement jusqu'à ce qu'elles soient tendres. Laissez refroidir et mettez au frais jusqu'au lendemain.

Egouttez les poires. Ajoutez au vin le jus d'orange et le jus de citron. Filtrez et versez dans le bac à glaçons du réfrigérateur. Faites prendre, en remuant souvent pour éviter la formation de cristaux.

Servez les poires sur un lit de sorbet en décorant d'une feuille de menthe.

Raisins en aspic

(4 personnes)

1 grosse grappe de raisins blancs
1 grosse grappe de raisins noirs
2 1/2 dl de vin blanc liquoreux
le jus d'un demi-citron
4 g de gélatine (2 feuilles)

Débutante
Temps de préparation : 10 min
A préparer à l'avance

Choisissez des raisins à peau fine avec peu de pépins. Lavez et égrenez-les. Rangez-les, en alternant les couleurs, dans un petit moule à charlotte ou dans un grand bol.

Faites chauffer le vin. Retirez-le du feu juste avant le premier bouillon. Ajoutez le jus de citron ainsi que la gélatine, préalablement ramollie dans un peu d'eau tiède et égouttée.

Faites dissoudre la gélatine, et versez le vin sur les raisins, qui doivent être recouverts.

Mettez au réfrigérateur jusqu'à ce que la gelée soit prise. Servez avec une crème anglaise.

Riz au sabayon

(6 personnes)

250 g de riz
1 l de lait
1 gousse de vanille
75 g de sucre
3 œufs
2 dl de vin blanc
2 dl de marsala
2 c. à soupe de sucre

Cordon-bleu
Temps de préparation : 20 min
Temps de cuisson : 20 min

Faites cuire le riz 5 minutes dans de l'eau bouillante légèrement salée. Egouttez-le et poursuivez la cuisson dans le lait bouillant, additionné de sucre et de vanille. Le riz est cuit lorsque tout le lait a été absorbé.

Dans une petite casserole, fouettez les jaunes d'œufs avec le vin blanc, le marsala et le sucre.

Mettez la casserole dans un bain-marie chaud et continuez à fouetter pour obtenir une crème mousseuse et onctueuse.

Mettez le riz chaud dans un plat à gratin. Recouvrez de sabayon et faites glacer 1 minute sous le gril du four. Servez chaud.

Sabayon de l'abbaye

(2 personnes)

40 g de sucre
4 jaunes d'œufs
2 dl de bière d'abbaye

Débutante
Temps de cuisson : 5 min

Travaillez les jaunes d'œufs avec le sucre, jusqu'à ce que le mélange blanchisse. Ajoutez la bière.

Faites chauffer à feu vif, en fouettant sans arrêt. Quand le mélange est chaud, continuez à fouetter à feu doux, pendant 1 à 2 minutes. La préparation va mousser et doubler de volume. Servez aussitôt dans des verres à pied.

Tarte au vin blanc

(4 personnes)

Pâte brisée (surgelée ou fraîche: *voir recette page 14*)

3 jaunes d'œufs
1 c. à soupe de maïzena
150 g de sucre semoule
1 zeste de citron
2 dl de vin blanc
20 g de beurre ou de margarine

Débutante
Temps de préparation : 10 min
Temps de cuisson : 35 min

Abaissez la pâte au rouleau et foncez-en un moule à tarte de 22 cm de diamètre. Piquez le fond et faites précuire 5 minutes à four chaud.

Pendant ce temps, travaillez les jaunes d'œufs avec 100 g de sucre et la maïzena pour obtenir une crème blanchâtre, dans laquelle vous râpez le zeste de citron.

Délayez avec le vin blanc, en fouettant, et versez le mélange dans le fond de tarte. Faites cuire à four chaud pendant 20 minutes environ.

Saupoudrez la tarte avec le reste du sucre, parsemez de noisettes de beurre et terminez la cuisson pendant 10 minutes. Servez tiède.

Poires et pruneaux au vin

(6 personnes)

6 poires fermes
24 pruneaux non dénoyautés
1 citron
150 g de sucre
2 l de vin rouge
le zeste de 2 oranges
1 c. à café de grains de coriandre
1/2 c. à café de grains de poivre
1 pincée de gingembre (ou 1 morceau
de gingembre frais)
1 pincée de cannelle
1 clou de girofle

Débutante
Temps de préparation : 15 min
Temps de cuisson : 1 h
A préparer la veille

Faites bouillir le vin avec le sucre, les zestes d'orange et toutes les épices. Laissez réduire de moitié.

Pendant ce temps, épluchez les poires et arrosez-les de jus de citron pour leur éviter de noircir.

Posez-les dans le vin, ainsi que les pruneaux non dénoyautés, et laissez cuire doucement pendant 15 minutes.

Retirez du feu, laissez refroidir jusqu'au lendemain. Servez dans des coupes les fruits et leur sirop de cuisson.

Gâteau au vin blanc

(6 à 8 personnes)

250 g de sucre semoule
1 sachet de sucre vanillé
2 œufs
1 zeste de citron
2 dl d'huile d'arachide
2 dl de vin blanc
250 g de farine
1 sachet de poudre à lever (levure chimique)

Débutante
Temps de préparation : 10 min
Temps de cuisson : 45 min

Battez les œufs entiers avec le sucre semoule et le sucre vanillé pour obtenir un mélange légèrement mousseux. Ajoutez le zeste de citron finement râpé, puis l'huile et enfin le vin. Continuez à travailler pour mélanger intimement tous les ingrédients.

Ajoutez peu à peu la farine, tamisée avec la levure. Versez la pâte dans un moule beurré et faites cuire à four chaud préchauffé pendant 45 minutes.

Démoulez et laissez refroidir sur grille.

Vous pouvez enrichir ce gâteau en y incorporant 150 g de raisins secs ou de fruits confits hachés, roulés dans un peu de farine.

Pudding à la bière

(4 personnes)

5 dl de bière brune
125 g de cassonade
1 pincée de cannelle
4 œufs
1 dl d'élixir d'Anvers
250 g de pain rassis
beurre

Crème anglaise:
5 dl de lait
3 jaunes d'œufs
75 g de sucre semoule

Débutante
Temps de préparation : 40 min
Temps de cuisson : 30 min

Faites bouillir la bière avec la cassonade et la cannelle.

Battez les œufs avec l'élixir d'Anvers et mouillez peu à peu avec la bière bouillante, sans cesser de fouetter.

Coupez le pain en petits morceaux et mettez-le dans un moule en couronne bien beurré. Arrosez de crème à la bière et faites cuire pendant 30 minutes environ au bain-marie, à four moyen. Laissez refroidir.

Pendant ce temps, préparez la crème anglaise. Faites bouillir le lait. Travaillez les jaunes d'œufs avec le sucre pour obtenir un mélange blanc et mousseux, sur lequel vous versez peu à peu le lait bouillant, en remuant sans arrêt.

Faites épaissir à feu doux, sans cesser de remuer. La crème ne doit pas bouillir. Retirez-la du feu dès qu'elle nappe la cuiller en bois et que la mousse disparaît de la surface. Laissez refroidir complètement.

Quand le pudding est froid, démoulez-le sur un plat creux. Versez la crème bien froide au milieu et autour du gâteau.

Table des matières